¡UUH!

por
Robert Munsch

Ilustrado por
Michael Martchenko

SCHOLASTIC INC.

New York Toronto London Auckland Sydney
Mexico City New Delhi Hong Kong Buenos Aires

Originally published in English as *Boo!*

ISBN 0-439-85106-8

12 11 10 9 8 7 6 5 4 3   11 12 13 14 15/0

Printed in the U.S.A.   40

First Spanish printing, September 2006

A Lance,
Hamilton, Ontario
— R.M.

El día de Halloween, Luis fue a buscar a su papá.

—Este año no quiero usar una máscara —le dijo—.
Me pintaré una cara horrible que los espante a todos.

—Me parece bien —dijo su padre—. Así tendré
menos trabajo. Ve y píntate la cara.

Luis fue al baño y se pintó:

gusanos que le salían del pelo,

hormigas que caminaban por sus mejillas

y serpientes que le salían de la boca.

Después bajó las escaleras y se paró detrás de su

papá.

—¡Uuh! —dijo.

Su padre se dio la vuelta.

—¡Ahhhhhhhh! —gritó.

"No lo asusté tanto —pensó Luis—. Me habría

gustado que se cayera del susto".

Luis volvió a subir las escaleras y se pintó:

sesos verdes que le escurrían por la frente,

un ojo que le colgaba a mitad de la cara

y una secreción anaranjada que le salía

por la nariz.

Entonces bajó las escaleras y se paró detrás

de su papá.

—¡Uuh! —dijo.

—¡Ahhhhhhh! —gritó su

padre, y se cayó.

"Ahora sí lo asusté", se dijo Luis.

Luis se puso una funda de almohada encima
de la cabeza, tomó otra para guardar las golosinas
y caminó calle abajo.

Fue hasta una casa y llamó a la puerta:

TOC TOC TOC.

Un hombre corpulento abrió la puerta y dijo:

—¡El primer niño que viene por Halloween! Es
tan agradable ver a los niños el día de Halloween.

Luis se quitó la funda.

—¡Uuh! —dijo.

—¡Ahhhhhhh! —gritó el hombre,
y se cayó.

Como Luis quería que le dieran golosinas, dijo muy bajito:

—Pon golosinas aquí o te crecerá la nariz.

Pero el hombre no se movió.

Así que dijo un poquito más alto:

—¡Pon golosinas aquí o te crecerá la nariz!

Pero el hombre no se movió.

Entonces Luis entró en la casa y fue hasta una enorme mesa que estaba llena de golosinas y las puso todas en su bolsa.

¡CATAPÚN!

Aunque su bolsa pesaba mucho, siguió caminando calle abajo hasta que llegó a otra casa.

TOC TOC TOC.

Una señora abrió la puerta.

—¡El primer niño que viene por Halloween! Es tan agradable ver a los niños el día de Halloween.

Luis se quitó la funda.

—¡Uuh! —dijo.

—**¡Ahhhhhhh!** —gritó la señora, y se cayó.

Como Luis quería golosinas, dijo muy bajito:

—¡Pon golosinas aquí o te crecerá la nariz!

Pero la señora no se movió.

Así que dijo un poquito más alto:

—¡Pon golosinas aquí o te crecerá la nariz!

Pero la señora no se movió.

Entonces Luis entró en la casa y fue hasta una enorme mesa que estaba llena de golosinas y las puso todas en su bolsa.

¡CATAPÚN!

Después fue hasta la cocina y abrió el refrigerador. Tomó diez cajas de helado, veinte latas de refresco, tres melones, diez pizzas congeladas y un pavo.

Luis arrastró su funda hasta salir de la casa. Bajó las escaleras y se sentó en medio de la calle.

Un auto de policía se acercó. El policía saltó del auto y miró a Luis.

—Niño, ¿qué te pasa? No te puedes sentar en medio de la calle. Recoge tus golosinas y vete.

—Mire —dijo Luis—, mi bolsa pesa tanto que no la puedo mover. Yo vivo al final de la calle. ¿Me podría ayudar?

—Está bien —dijo el policía—. Llevaré tu bolsa de golosinas hasta tu casa...

¡INCREÍBLE! ¡ESTA BOLSA DE GOLOSINAS PESA MUCHÍSIMO!

El policía arrastró la bolsa calle abajo y la puso en la entrada de la casa de Luis.

—¡Qué bárbaro! Seguramente fuiste a dos mil casas para conseguir tantas golosinas.

—No —contestó Luis—, solamente fui a dos.

—Espera un minuto —dijo el policía—. ¿Y cómo conseguiste tantas golosinas en solo dos casas?

—Bueno —dijo Luis—, la verdad es que mi cara es tan horrible que cuando alguien la ve, se cae del susto y yo puedo tomar todas las golosinas que hay en la casa.

—Ummm —murmuró el policía—. Yo soy policía y a mí no me podrás asustar. Quiero ver tu cara.

—Está bien —le contestó Luis. Entonces se quitó la funda y dijo—: ¡Uuh!

—Si tú crees que me voy a caer del susto por una cara como esa, te equivocas. Yo voy... Yo voy... Yo voy... ¡A CORRER! —dijo el policía, y se montó en su auto y salió disparado.

¡BRUUUUUUUUUUM!

Así que Luis entró en su casa y comenzó a comer su primera barra de chocolate.

Llamaron a la puerta. Luis la abrió y vio a un joven. Era algo mayor para ir por ahí pidiendo golosinas el día de Halloween.

Tenía una funda encima de la cabeza y una bolsa de golosinas más grande que Luis.

—¡Huuuy! —dijo Luis—. Seguramente fuiste a cinco mil casas para conseguir tantas golosinas.

—No —respondió el joven—, solamente fui a cinco casas.

—¿Y cómo conseguiste tantas golosinas en solo cinco casas? —le preguntó Luis.

—Mi cara es tan horrible que cuando alguien la ve, se cae del susto y yo puedo tomar todas las golosinas que hay en la casa. Y ahora voy a asustarte a ti y me voy a llevar todas las golosinas que hay en tu casa.

—Quizá no —dijo Luis—. Quiero ver tu cara.

—Está bien —dijo el joven. Se quitó la funda y gritó—: ¡Uuh!

Debajo de la funda tenía:

gusanos que le salían del pelo,

mariposas que le salían por la nariz

y hormigas que correteaban por la boca.

Espantaba, pero no tanto como la de Luis.

—No está mal —dijo Luis. Entonces se quitó la funda y dijo—:

—¡Ahhhhhhhh! —gritó el joven, soltando su bolsa de golosinas y corriendo calle abajo.

Luis tomó la bolsa de golosinas del joven y la arrastró hasta el interior de su casa.

Tuvo golosinas por mucho tiempo. Todos los días comía una golosina con el desayuno, una con el almuerzo y una con la comida. Comía golosinas a media noche. Aun así, sus golosinas duraron hasta...

¡EL SIGUIENTE HALLOWEEN!